Les lumières de David
Tome I
God bless you

David Pagès

Les lumières de David
Tome I
God bless you
Recueil

LE LYS BLEU
ÉDITIONS

© Lys Bleu Éditions – David Pagès

ISBN : 979-10-377-4665-8

À toi qui m'inspires chaque jour...

J
LES LUMIERES
S DE DAVID
U
S   TOME I

Sommaire

Préface

Par des lectures de témoignages, par mon écoute active de diverses prédications ou par la visualisation de nombreuses émissions j'ai grandi spirituellement.

Aujourd'hui à travers ce recueil de poèmes voilà je vous dévoile ma relation avec Dieu.

Mais pour en arriver là, tout a commencé par la lecture de la Bible...

J'ai commencé à te lire en début d'année
Je ne l'ai pas lu comme un roman policier
Je ne l'ai pas lu juste pour la lire
Je l'ai lu pour apprendre et te découvrir.

Oui te découvrir toi qui as créé le monde
Toi qui as créé les étoiles, la terre ronde
Toi qui as fait les fleurs, les animaux
Les mers, les océans et les ruisseaux
Oui toi qui as aussi créé l'humanité
Merci de nous avoir tant donnés

La bible, lue comme parole de vie
Peut nous pousser à méditer toute la nuit.
Plus je te lis, plus je te sens Seigneur

Ta présence remplit de joie mon cœur.
Comme une flèche qui a touché sa cible
C'est pourquoi j'aime tant lire la bible.

La bible, un livre dit « dangereux » ?
Un livre qu'on médite en fermant les yeux
La bible un livre a de grands pouvoirs
Un livre qu'on médite du matin au soir.

Et à coup sûr
Lors de ta lecture
Il y aura un ou des versets
Que tu pourras t'approprier.

En tout cas, moi elle m'a permis
De voir autrement ma vie
Ce livre n'est finalement pas dangereux
Mais une fois commencé, il mettra le feu.

Partie 1
Qui suis-je ?

Mais à tous ceux qui l'ont acceptée [La Parole], à ceux qui croient en son nom, elle a donné le droit de devenir enfants de Dieu.

Jean 1:12

Un témoin

Beaucoup de frères et de sœurs
Voient que je nage dans le bonheur
C'est vrai que j'ai une femme merveilleuse
J'avoue, j'ai une famille heureuse.

Mais tout a vraiment basculé
Un certain mercredi 27 janvier.
Mais que s'est-il passé ce jour-là ?
Je vais vous raconter tout cela.

En fait j'ai fait la rencontre avec Dieu.
C'était le soir, je fermais les yeux :
Je dormais dans mon lit
Le vent soufflait il faisait nuit
J'ai senti qu'on m'extirpait
J'ai senti qu'on voulait m'enlever.

Dans mon oreille une voix ferme et claire
Me parlait pendant qu'il y avait des éclairs
Cette voix ne m'a pas dit pourquoi elle est intervenue
Mais m'a dit qu'elle était Jésus

Réveiller avec une sensation d'apaisement
J'étais quand même troublé par cet événement…
Cette rencontre puissante et soudaine
A chassé mes doutes et mes peines

Depuis ce jour je sens le Saint-Esprit en moi
Tu comptes tellement beaucoup pour moi
Tu es devenu un allié, un confident, un ami
Merci d'être rentré dans ma vie.

Une identité

Connaître son identité
C'est déjà accepter
Qui on est.

Mais qui suis-je ? D'où je viens ?
Où vais-je ? Quel est mon destin ?

Je suis déboussolé, éclaire moi
Je suis paniqué, aide moi
Je ne sais pas où aller, ouvre moi tes bras.

J'ai entendu que tu étais mon Père
Que j'avais des sœurs et des frères
Mais ce n'est pas ce que m'avait dit ma mère.

Alors qui suis-je ? Réponds-moi
D'où je viens ? Je ne comprends pas
Où vais-je ? Je n'ai pas d'adresse
Quel est mon destin ? Je sens la détresse.

Je me suis aussi posé toutes ces questions
Mais aujourd'hui je n'ai plus ces hésitations
J'ai fait une rencontre, eu une révélation

Mais qui suis-je ? Ton enfant
D'où je viens ? De tes plans
Où vais-je ? Je ne sais toujours pas
Quel est mon destin ? Croire en toi.

Ainsi je sais que je serais heureux
Ta parole est ce qui est de mieux
Je t'adore mon Dieu.

Un homme généreux

L'appât du gain peut monter à la tête
L'argent peut rendre malhonnête.
Alors qu'il ne nous appartient pas
Alors pourquoi tu t'y accroches comme cela.

Apprends à devenir généreux
Tu vivras à la fois mieux
Mais aussi plus heureux
N'oublie pas que tout appartient à Dieu.

Tout ce qui est sur Terre
N'est qu'éphémère
Ne te l'accapare pas
Il est aussi bien à toi qu'à moi.

N'oublie pas que la richesse du cœur
Est plus importante que celle extérieure
Les apparences peuvent nous tromper
On peut être riche mais être attristé.

On ne peut pas tout acheter même par envie
L'amour par exemple peut en faire partie

Alors oui t'as peut-être plein de billets
Mais un conseil apprend à partager

Dieu regarde au cœur, pas au porte-monnaie
Alors apprend un jour à donner
Nul doute qu'en retour tu seras béni
Tel est le vrai sens de la vie.

Un homme intimidé

L'intimidation a plusieurs aspects
Mais a la même finalité
Elle peut être aussi bien physique
Que psychologique.

Elle fait mal à celle qui la subit
Dépassé on a plus goût à la vie
On broie alors du noir
On est plongé dans le désespoir

Mais nous, enfants de Dieu
On ne doit pas être malheureux
On doit prendre autorité
Contre le mal et toutes ses idées.

En toi, en plus d'un sentiment de paix
Dieu a mis dans ta personnalité
Le fait d'être fier de soi
Ne prends pas le fardeau ou la honte avec toi.

On n'est pas esclave de la peur
Mais plus esclave du bonheur

Alors si tu sens un doigt accusateur
Rejette-le de tout ton cœur.

Refuse le jugement et la culpabilité
Personne n'a le droit de te juger
Dieu met en toi toute sa protection
Alors refuse toute intimidation.

Un homme critiqué

Critiqué, rabaissé
Je me sens attaqué
Mais j'ai décidé de ne pas relever
Je préfère laisser glisser.

On peut me juger mais je suis protégé
Par l'armure que tu m'as donnée
Le jour où je suis né
Merci seigneur adoré.

Comme un boomerang qui revient
Je ne suis donc pas atteint
Toi tu représentes le malin
Moi je suis accompagné du plus grand saint

Si humilier est pour toi plaisant
Sache que pour moi ça me laisse indifférent
Tu te crois puissant et le plus grand
Mais tu représentes le néant.

Vide à l'intérieur, si on tape tu sonnes creux
C'est pourquoi le meilleur c'est Dieu

Lui seul est le plus fort, le plus merveilleux
Penser à lui me rend toujours heureux.

Quand quelqu'un te prend de haut
Qui se croit le plus beau
Laisse-le divaguer seul sur son bateau
Grâce à Dieu on sait ce que l'on vaut

Un homme perdu

Traverser le désert
Sans son père
On s'y perd…

Sentir un danger imminent
Se poser un petit instant
Pour chasser les idées de Satan

Traversée du désert
Avec Notre Père
Je retrouve mes repères

Ne pas douter de Toi
Ma force c'est ma foi
J'avance donc avec joie.

Traverser donc un désert
Avec toi dans mes prières
M'aide à repousser Lucifer

Voir la vie sereinement
Marcher plus tranquillement
Pour voir mon futur à présent.

Traverser le désert n'est plus une peur
Avec toi je ne vois que le bonheur
Merci d'être tous les jours dans mon cœur.

Une tristesse, une hésitation
Ne te pose pas des tas de questions
Garde le cap et fixe l'horizon.

Ne pas douter de Toi
Me fait avancer dans mes combats
J'avance et ne recule pas.

Un homme masqué

Derrière un sourire
Peut se cacher une envie de mourir
Derrière la joie
Peut se cacher une envie de baisser les bras

Derrière un air joyeux
Peut se cacher quelqu'un d'envieux
Derrière un air décontracté
Peut se cacher une grande anxiété

Dans le monde on cache souvent
Ses sentiments et ce que l'on ressent
Mais notre Père nous veut sincères
Alors arrête cette vie mensongère

Se cacher derrière un masque ne t'aidera pas
Se cacher derrière une apparence ne te donnera
Vraiment aucune bénédiction, crois-moi
Dieu veut t'aider ne te cache pas.

Dieu nous aime pour ce que l'on est
Il n'est pas là pour nous juger

Reste dans le couloir de la sincérité
Vis une vie saine remplie d'humilité.

Dieu t'aidera toujours à te relever
Rien ne sert de fausser la vérité
Alors ne vis pas dans le péché
Crois en lui et ta vie sera sauvée.

Une pomme

Bel aspect de l'extérieur
Mais la pomme pourrie de l'intérieur
Nos péchés nous rongent
Nos angoisses nous plongent
Vers la honte et le désarroi
Nous éloignant un peu plus de toi.

À nous de rester un beau fruit
Luisant et pleine de vie
On peut vite se retrouver
Abîmer, gâter et être jeté
Mais on peut aussi se conserver
Si on reste fidèle à ses idées.

Comme un fruit que l'on met
Au frigo pendant l'été.
On ne reste pas dans son coin
On voyage, on aide son prochain
Passant de fruit glacé à prêt être dégusté
On passe de baptiser à vouloir évangéliser

On devient tout feu toute flamme
On veut sauver toutes les âmes

On a plus froid, notre cœur bouillonne
Comme ton amour en nous, on rayonne
Mais des fois on se fait croquer
Comme quelqu'un qui est persécuté.

Une fois englouti on nous jettera
Comme un fruit qu'on n'aime pas
On se meurtrit de l'extérieur
Mais dans notre cœur
On se sentira libéré
Car nous t'avons écouté.

La lumière

Marcher dans l'obscurité
On ne sait jamais où aller
On ne voit pas les embûches.
On se cogne, on trébuche

Le noir peut nous jouer des tours
Mais nous marchons dans l'amour
Marcher dans l'obscurité
Ne doit donc pas nous effrayer.

Nous sommes la lumière du monde
Alors quand l'orage gronde
N'ait pas peur, ne crains rien
Tu brilles, tu éclaires le chemin

Comme une éclaircie après la pluie
Nous sommes une bougie dans la nuit
Nous illuminons le monde par notre Foi
Mais aussi par notre amour et nos choix.

Éclairer ces sentiers qui te semblent abandonnés
Où tu as peur de t'aventurer et t'avancer

Voici les plans que Dieu a préparés
Dans nos cœurs pour nos destinées.

Briller par la Foi et l'amour
Briller nuit et jour
Mais surtout brille pour toujours

Un homme persévérant

Persévérer
Est un mot clef
Persévérer
Est le mot clef du succès.

Comme un clou planté
On tape jusqu'à qu'il soit rentré
On ne peut pas s'arrêter si le clou
N'est pas mis jusqu'au bout.

La persévérance c'est identique
Ce n'est pas uniquement biblique
Cela doit être un moteur de vie
La persévérance c'est un vrai état d'esprit.

Persévérer
Au quotidien
Persévérer
Au quotidien c'est créer des liens.

Un doute, une défaillance
Un mal être ou une offense

Refuse et joue la persévérance
Tu verras c'est une vraie délivrance

Ne prête pas attention au malin
Persévère, continue ton chemin
En toi tu portes notre plus grand Saint
Chasse la division et met la donc au loin.
Persévérer
C'est ce qu'il y'a de mieux
Persévérer
C'est se rapprocher toujours plus de Dieu

Un homme appelé

Appelé à un ministère
Cela commence par la prière
En discutant avec le Père
Pour savoir vraiment quoi faire.

Aujourd'hui je suis en pleine réflexion
Je te pose des tas de questions
Je vois où est ma future direction
À moi de mettre mon obéissance en action.

Je sais que je dois t'obéir
Je sais que tu as tracé mon avenir
Suivre tes pas c'est ne pas souffrir
Merci de m'aimer, merci de me bénir.

Je te suis reconnaissant pour ton amour
C'est pour cela que chaque jour
Je me prosterne à toi et je cours
Dès que tu m'appelles et je le ferais toujours

Je veux toujours être dans ta présence
Ta bonté est tellement immense

Être ton enfant, quelle « chance » !
Et toi qu'est-ce que tu en penses ?

Merci de m'avoir confié tant de responsabilités
Merci de m'avoir autant donné,
De m'avoir donné les clefs de ma vérité.
À présent à moi de jouer !

Un homme de foi

Devenue indispensable pour battre les galères
La foi c'est un peu comme le pass sanitaire
On a besoin de lui pour pouvoir sortir
On a besoin d'elle pour continuer à grandir.

La foi est ce qui doit nous faire avancer
Grâce à elle on se sent plus fort et fortifié
On ne doit pas baisser les bras
Mais toujours être prêt au combat.

À travers la foi Dieu donne tout ce qu'il est :
C'est-à-dire sa joie, sa force mais aussi sa paix
Être rempli de foi permet dans l'adversité
De gagner en sagesse et en spiritualité.

On se plaint souvent de notre existence
Et de nos diverses malchances
Mais c'est souvent dans ces types déserts
Que Dieu aime travailler notre chair.

Nietzche un célèbre poète-philosophe a dit
La phrase qui suit :

« Ce qui ne me tue pas rend plus fort »
Je pense qu'il n'avait pas tout à fait tort.

En effet malgré les difficultés de la vie
N'oublie pas que nous avons le Saint-Esprit
Il nous guide et nous fait avancer pas à pas
Vers cette inébranlable foi
Qui doit être pour tous aussi tangible
Qu'indestructible.

Partie 2
Le Saint-Esprit est…

Que le Dieu de l'espérance vous remplisse de toute joie et de toute paix dans la foi, pour que vous débordiez d'espérance, par la puissance du Saint-Esprit !

Romains 15:13

Un joueur de Cache-cache

Je te cherche jour et nuit
Où te caches-tu Saint-Esprit ?
J'ai besoin de ton avis
Aide-moi je t'en prie.

Depuis que mes chaînes se sont brisées
J'ai essayé de te rencontrer…
Jusqu'au jour où à force de prières
J'ai enfin rencontré notre Père.

Aujourd'hui je peux donc enfin le dire
J'ai réussi à te découvrir.
Seigneur merci pour l'Esprit saint
Qui m'inonde du soir au matin
Qu'il est bon de vivre à tes côtés,
Partie de cache-cache terminée.

Je ne te cherche donc plus comme avant
Tu es en moi à chaque instant
Et si j'ai une question ou une envie
Dans la seconde j'entends ce que tu dis.

Ainsi depuis que tu vis avec moi
J'ai réussi à élever ma Foi
Jusqu'où vais-je aller ?
Je ne sais pas mais je suis prêt.

Une envie

Sans toi je n'ai pas de vie
Sans toi je n'ai pas d'envies.

Depuis le jour où je t'ai rencontré
Ma vie n'a fait que de s'améliorer
Je sens que petit à petit
Je ne vis qu'à travers toi « mon ami ».

Avec toi ma vie a un pris un sens
C'est donc avec un plaisir immense
Que je fais ma vie à tes côtés
Continue alors à me transcender.

Sans toi je n'ai pas de vie
Tu es ma seule vraie envie.

Aujourd'hui, hier et demain
J'aime être avec toi Esprit saint
Tu es fidèle, toujours le même
C'est pour cela que je t'aime.

Ton amour me fait pousser des ailes
Me permettant un jour de rejoindre le ciel

En attendant avec toi en moi
On va faire de grandes choses, crois-moi

Avec toi j'ai la vie
Je suis béni.

Une aide

Comment pouvoir aider autrui ?
Comment changer sa propre vie
Sans blesser sa famille et ses amis ?
On a une vie paisible
On n'est jamais pris pour cible
Mais un jour le malheur se produit
Achevant ainsi nos rêveries

L'envie de sourire est donc partie
Le mal être alors surgit.
Comment alors avancer ?
Comment alors continuer
Sans littéralement abandonner ?

Moi je te dis avant de t'apitoyer
Va dans une église pour discuter
Arrivé là-bas, ferme les yeux
Et surtout ne sois pas peureux
Écoute cette voix intérieure
Elle devrait consoler ton cœur.

Apprenez donc à parler avec lui
C'est l'ami de tous, son nom le Saint-Esprit
Il pansera tes maux
Écoute-le bien comme il faut.

Un encouragement

Beaucoup de gens disent apprécier
Les poèmes sur Instagram publiés
Je tenais alors à tous vous remercier
De me suivre et de m'encourager.

Je ne prétends pas avoir un talent
Je ne cherche pas à gagner de l'argent
Je veux juste toucher des gens
Et leur apporter mon l'encouragement.

Diffuse-les si tu ressens le besoin
Que la personne est en plein chagrin
Le but ultime est d'aider son prochain
Et qu'il accepte au mieux son destin.

Mes poèmes sont des tranches de vie
Peut-être que ce que j'ai écrit
Tu l'as déjà vécu ou ressenti
Possible car je suis guidé par le Saint-Esprit.

Je continuerais donc toujours à le faire
Comme on doit continuer la prière
Pour honorer notre Père
Et soulager tous nos frères.

Un bouton à enclencher

Saint-Esprit éteint
On croit que c'est la fin
Alors qu'il suffit de l'activer
Pour se sentir libéré.

Une fois enclenché, laisse-toi guider
Fais confiance à l'éternel des armées
Il a un plan pour toi et chacun
Ne doute pas, tend lui la main.

Fais-lui confiance aveuglément
Il connaît ton cœur à cent pour cent
Jamais tu ne dois douter de lui
Accepte d'être guidé par le Saint-Esprit

Il t'emmène loin, vise haut
Il n'existe vraiment aucun mot
Pour décrire sa force et son amour
Qu'il a déposé en nous dès le premier jour

N'ai pas peur d'avancer
Vers ce qu'il t'a déposé
Ouvre les yeux, ressent la paix
Il t'aime je peux te l'assurer.

Reste connecté à lui en courant continu
Garde ta foi, ne sois pas interrompu
Prosterne-toi, met-toi à nu
Abandonne-toi vers tes nouvelles vertus.

Dieu est bon il sait ce qu'il fait
Dieu est bon il sait comment t'élever
Arrête de te poster des questions à l'infini
Crois et marche avec lui.

Un coéquipier

Comme souvent les policiers
Je travaille avec un coéquipier
Son nom : le Sain Esprit
Notre mission : sauver des vies

N'aimant pas les armes à feu
Notre arme est la parole de Dieu
On essaye de la dégainer très vite
Avant que les gens prennent la fuit

Pas question de les menotter
Mais important de les questionner
Afin qu'il connaisse la vérité :
Jésus nous a délivrés du péché.

Le but est de toucher vite sa cible
De proposer de rapidement lire la Bible
Pour qu'ils voient en notre Père
Le créateur de l'univers.

Dieu n'étant pas coupable de malheurs
On doit lui montrer qu'il est notre sauveur

Comme un pompier qui éteint un feu
Il faut lui montrer la force de notre Dieu

Avec mon Saint-Esprit toujours à mes côtés
Nous travaillons en totale complicité
En plein jour ou en pleine nuit
Merci d'aussi bien réguler ma vie !

Un bon chemin

On doute et on avance plus
On se retourne et on est perdu
On a pris le mauvais chemin
Celui qui nous éloigne de notre destin

La route qui nous a été promise
A été détournée par nos convoitises
Alors que Dieu avait tout planifié
Par notre orgueil on s'en est détourné.

Des fois par facilité, des fois par lâcheté
Je ne suis pas du tout entrain de juger
Mais te dire que plus c'est long et dur
Plus ton cœur se prépare à être pur.

Alors ne baisse pas facilement les bras
Continue à croire et te préparer au combat
Oui la vie n'est pas simple c'est sûr
Mais Dieu nous a dotés d'une forte armure.

En son nom, rien ne doit t'effrayer
La vie doit être d'une grande simplicité

Tu rencontreras des difficultés dans ta vie
Mais ton meilleur allié c'est le Saint-Esprit

Une fois que tu as cette certitude en toi
Plus personne et plus rien troublera ta foi
Tu avanceras donc doucement pas à pas
Vers cette route qui l'a créée que pour toi.

Par ta foi tu grandiras et t'aideras à marcher
À toi donc d'avancer sans jamais te retourner.

Un panneau de signalisation

Transporté par l'euphorie
Je suis guidé par le Saint-Esprit
Qui calme mes ardeurs
Qui panse toutes mes douleurs.
L'Esprit saint étant une personne
Il communique, il te raisonne.

Au feu rouge il te dit de te contenir
Ne pas foncer et de réfléchir.
Au feu orange il te dit attention danger
Au feu vert d'avancer en toute sécurité.
Ce feu tricolore est en chacun
Il faut juste avoir accepté l'Esprit saint.

Sur la route t'auras d'autres signalisations
Qui te pousseront à une déviation
Mais respecter toujours le Saint-Esprit
Lui seul connaît le meilleur chemin de ta vie.
Ne va pas trop vite respecte les panneaux
Reste humble, ne te crois pas le plus beau.

Il t'évitera tout type d'accidents
Il sera avec toi à chaque instant

Il est à la fois policier et pompier
Il sait te mettre le feu pour mieux t'élever
Le Saint-Esprit c'est notre meilleur allié
En toi, laisse-le faire ses activités.

Une direction

Quand on parle de relation de confiance
De suite c'est à toi que je pense
Tu connais mes forces et mes faiblesses
Tu connais mon cœur et ses richesses

C'est pour cela que je t'écoute aveuglément
Puisque tu sais ce que je ressens
Tu sais ce que j'ai vraiment besoin
Ensemble on ne forme qu'un.

Avec toi en moi il n'y a aucun débat
Tu me remplis chaque jour de joie
Au quotidien tu m'assouvis
Comme un vase que l'on remplit.

Notre rencontre n'est pas du hasard
Tu es rentré dans ma vie
Comme un train qui arrive en gare
Tu as desservi ma vie, merci.

Avec toi je vis une vraie relation
Ensemble on va dans la même direction
Vivant dans mon cœur et tout mon corps
Te sentir en moi me rend plus fort.

Un co-auteur

On me dit souvent « Dieu sait t'utiliser »
Je réponds alors avec humilité
Que je ne fais qu'écrire
Ce que le Saint-Esprit me dit de dire.

Je ne pense pas avoir un talent
Je ne fais que partager ce qu'on ressent
« On » étant le Saint-Esprit et moi
Écrivant ensemble pour toi.

Quand j'écris je ne réfléchis pas
Me guidant à chacun de mes pas
J'ai une confiance totale aux mots qu'il choisit
Mieux quiconque il connaît tous les esprits.

Je ne sais pas combien il veut que j'en fasse
Je continuerai donc sans faire d'impasse
À écrire toutes ses phrases et tous ses mots
Sans réfléchir comme le ferait un robot.

Merci beaucoup de nous suivre lui et moi
Mes poèmes étant notre arme de combat

Contre ceux qui peuvent nous persécuter
C'est pourquoi je ne cesserai jamais
De t'écouter mon fidèle compagnon
Et d'écrire en ton nom.

De l'eau

Coule eau, coule
Tel un oiseau qui roucoule

Le robinet ouvert, l'eau débite sans s'arrêter
Dans ce verre blanc qui lui ai dédié
L'accumulation de toute cette eau
Pourrait même remplir un seau.

Coule eau ne t'arrête pas
Tel un bébé qui fait ses premiers pas.

L'eau qu'on boit est comme le Saint-Esprit
Il entre en nous, laissons-le faire, il agit
Il va nous conseiller, nous épauler
N'oublie pas en nous il a un rôle à jouer

Coule eau, coule abondamment
Tel un Homme qui prit ardemment.

Laisse donc cette eau couler
Jésus saura alors te remercier
D'avoir laissé le Saint-Esprit te pénétrer.

L'eau apporte la vie
Mais aussi le Saint-Esprit
Moi je dis amen à l'infini !!

Un potager

Le cœur est comme un potager
Qu'on se doit d'apprendre à protéger
Mais avant de vouloir semer
Faut savoir ce que l'on veut récolter

C'est un peu pareil avec la parole
Avant qu'une personne prenne son envol
On lui met à l'intérieur de lui
Tout pour réussir sa vie

Parfois cela peut germer rapidement
On oublie vite qu'hier on était qu'un enfant
Pour d'autres il faut plus de temps
Et là il faut apprendre à être patient

En tout cas il ne faut jamais oublier
D'où on vient et quelle est notre destinée
On doit avancer avec le tempo de Dieu
Sinon on peut finir malheureux

Protège ton cœur, protège ton jardin
N'ai pas peur, accepte l'Esprit saint
Il saura te faire grandir
Avec lui tu vas apprendre et t'épanouir

Les fleurs ont besoin d'eau pour se raffermir
L'Esprit saint est ce liquide qui peut nous servir
À passer de graine à une plante solide
Alors ne pense pas que ta vie est vide

Étant tous rempli du Saint-Esprit
Je souhaite que ton cœur soit bien fleuri.

Partie 3
Mon Dieu est...

Je suis le chemin, la vérité, et la vie.

Jean 14 : 6

YHWH

YHWH certains liront à plusieurs reprises
Pensant qu'une faute a été commise.
Ils essayeront de le prononcer
Mais devant leurs difficultés
Ils diront que des voyelles ont été oubliées.
Pourtant le mot est bien orthographié.

D'autres chercheront entre copains,
D'autres chercheront du soir au matin
Ils ne lâcheront pas le morceau
Tant qu'ils ne trouveront pas le mot.
Un indice : je suis chrétien…
Tu ne trouves toujours rien ?

Et bien c'est le nom hébraïque du Divin
Il ne fallait pas chercher la réponse bien loin
Comme nous, Dieu a aussi à un nom
Désolé de t'avoir fait tourner en rond
J'ai trouvé cela sympa d'en parler
Et de partager le nom qu'il lui est approprié.

Tous les jours on apprend sur nous, sur toi
C'est un vrai bonheur, je ne m'en lasse pas.

Mais te comprendre pleinement en une vie
N'est pas possible puisque tu es infini
J'aime vraiment qui tu es
C'est pourquoi pour toi j'aime me transcender.

Je n'ai plus qu'une chose à rajouter :
« Je t'adore Yahvé »

Un planificateur

Un oubli
Et notre destinée se modifie
Un égarement
Et on voit notre vie autrement

Du moins c'est ce que l'on croit
Du moins c'est ce que l'on perçoit
Mais ce n'est pas tout à fait vrai
Je vais essayer de vous l'expliquer

En effet Dieu a pour nous des plans
Il n'existe donc aucun détournement
On croit que l'on agit
Mais il a déjà tout écrit.

Alors ne te sous-estime pas
Ne te rabaisse pas
Si ça s'est passé ainsi
C'est que c'est Dieu qu'il a voulu ainsi.

On ne change pas sa destinée
Alors vois le bon côté.

N'oublie pas personne n'est parfait
À part notre Dieu adoré.

Voilà que j'avais sur le cœur
J'espère que s'arrêteront tes stupeurs
Remercions le Seigneur
Pour tous ces moments de bonheur.

Une bouée de sauvetage

La vie est faite de petits bonheurs
Que nous apporte le Seigneur.
Il efface nos grands malheurs
Il fait de notre vie un océan de bonheur.

On se noie alors dans l'insouciance
Tout en profitant de sa présence
On se noie dans ce bien être immense
Que c'est bon d'être à ton obéissance.
Pas besoin de nager à contre-courant
Faut juste aller de l'avant

Tu nous permets d'aimer l'instant présent
Tu nous rassures sur les futurs événements.
Avec toi il est impossible de se noyer
Tu es là pour nous surveiller

Si tu vois que nous pouvons succomber
Alors tu tends ta main pour nous sauver.
Ve vaste océan peut faire peur
Mais tu es avec nous Seigneur
À tes côtés je n'ai donc pas mal au cœur
Je sais que tu es mon sauveur.

Merci de nous protéger, de nous aider
Tu es comme une bouée
Sur laquelle si on est fatigué
On peut se reposer et s'appuyer.

Un marionnettiste

Mon père est un vrai artiste
Sa profession : marionnettiste
Chaque personne sur la Terre
Tu l'as doté d'un physique, d'un caractère

Tu nous as créés selon les besoins de la vie
Il y'a donc des gros, des grands et des petits
Il y'a aussi des déterminés et des grincheux
Mais aussi des drôles et des ambitieux.

Avec toi nous sommes des pantins
On avance grâce à l'articulation de tes mains
On marche avec toi dans cette aire de jeu
Qui est notre destinée, merci mon Dieu !

Comme des marionnettes en bois
On peut se casser parfois
Mais ton amour recolle toujours les morceaux
Au final on sort toujours la tête de l'eau.

Certains sont des marionnettes en carton
Mais viennent aussi de ton inspiration.

On est tous faits avec divers matériaux
Mais au final nous sommes tous beaux.

Étant à l'image de mon créateur
Je nage donc en plein bonheur
Heureux de la marionnette que je suis
Je suis fier d'être un de tes enfants, merci.

Un coach de tennis

Une balle, une raquette
Une casquette
Des baskets
On va commencer le premier set

Prêt à jouer ?
À monter au filet ?
Tiens-toi prêt…
Ça y est la balle est lancée
Le match est lancé…

Chaque point que tu perds
C'est un point pour notre adversaire
Qui est Lucifer
Alors bats-toi mon frère
Ensemble on peut le faire.

Bats-toi sur tous les coups envoyés
Cours ne t'arrête jamais
Smatch, coup droit, revers, volet
Tous les coups sont acceptés.
L'essentiel est de gagner

Le match n'a pas même duré deux heures
Jeu set et match nous sommes vainqueurs
Avec Dieu on ne peut qu'être les meilleurs
Porte-le haut dans ton cœur
Le malin ne sera jamais à la hauteur.

Un créateur

L'une des plus belles choses que j'ai vues au ciel
En plus des étoiles ce sont les arcs-en-ciel
C'est une union entre les Hommes et la Terre
Une sorte d'alliance qu'a créée notre Père
C'est à la fois un symbole de paix
Et un symbole de prospérité.

Certains le voient comme un présage soudain
Moi je le vois comme un clin d'œil du Divin
Violet indigo vert bleu rouge jaune orange
Sept couleurs, sept un nombre étrange ?

Certains trouvent le sept comme magique
Moi je trouve qu'il est davantage mystique
C'est un nombre très important dans nos vies
Il représente à lui seul un cycle abouti

En effet en sept jours Dieu a créé le monde
Il existe sept merveilles du monde
On parle aussi des sept trompettes
Le chiffre sept est omniprésent en fait.

C'est vraiment le chiffre de Dieu
C'est un chiffre recherché qui rend heureux.
Dans la vie d'autres symboles sont cachés
Dieu s'est amusé à tous les parsemer
À nous de les comprendre et les trouver
Es-tu prêt les déchiffrer et à jouer ?

Un conducteur

Replié comme un saule pleureur
La tête sur les genoux, tu pleures

Tu vis sur le quai de la gare
Un train arrive, tu montes et dis au revoir
Sur ce quai où tu as passé ta vie
Où de nombreuses personnes t'ont détruit
Sur toi ils posaient leur regard lourd
Jamais tu n'as senti leur amour.

Tu essayes à te relever de ces années
Mais tu sens qu'il le fallait.

Prendre ce train a été ton meilleur choix
À l'intérieur plein de gens comme toi
Que la vie n'a pas épargné
Mais comme toi sans hésiter
Ils ont pris le bon wagon
Pour en revoir leur vraie destination.

La tête relevée tu reprends confiance
Tu t'es repentie tu sens la délivrance.

Le Seigneur est le conducteur du train
Rassure-toi il connaît le chemin
Ce train est terminus vers ta destinée
Tu ne peux pas descendre, il est sans arrêt
Il contournera les obstacles de ta vie
Tu n'as qu'une chose à faire, crois en lui.

Le passé oublié, tu as découvert la foi.
La tête haute tu marches dans ses pas

Numéro 1

On a mal au cœur
On appelle le docteur
On est amputé d'une main
On appelle le chirurgien,
On a du mal à marcher
On appelle le kiné
On a des problèmes de peau
On appelle le dermato
On a des soucis
On appelle le psy

Tant de docteurs différents
Alors qu'un seul peut être suffisant.
Vous voyez qui sait ?
Son numéro vous le connaissez ?
Non ? Moi non plus mais on va faire sans
Fermez les yeux et prions maintenant

Ah on dirait qu'une connexion s'établit
Entre nous qui sommes ses enfants et lui
La conversation n'est pas enregistrée
Tu peux parler en toute liberté.

Il connaît la définition du mot confidentiel
Il sait que ce rendez-vous est personnel.

Alors arrête d'hésiter, profite et savoure
La consultation est gratuite, elle est remplie d'amour
Je répète si tu as des soucis inopinés ou pas
Va le consulter, il sera te soigner, crois-moi

Jésus est le meilleur des médecins
Il est vraiment le numéro un

Au contrôle

Ne reste pas dans ce couloir
Où tu n'arrêtes pas de broyer du noir
Reste focus à de brillantes idées
Sois fier et arrête de te détester.

Dieu t'aime comme tu es
Pourquoi je te vois encore hésiter ?
Dieu t'ouvre grand les bras
Alors avance et accroche à toi.

Je t'assure tu ne connaîtras jamais
Les tempêtes, les raz de marrée
Les ouragans ou les naufrages
Dieu étant notre bouée de sauvetage.

Dieu est au contrôle, il gère tout
Avec lui tu resteras toujours debout
Tu es un roseau solide qui ne casse pas
Cours, prends sa main et prosterne-toi.

Il est bon, fort, fidèle, grand, amour…
Donc si vraiment tu as le cœur lourd
S'il te plaît, accepte-le dans ta vie
Il effacera très vite tes soucis.

Un père dévoué

Aujourd'hui c'est un grand événement
En effet voilà soixante-dix-sept ans
Qu'il y'a eu le débarquement !

Depuis toujours des guerres ont éclaté,
Des maladies se sont propagées.
Des peuples entiers ont été décimés…

En s'appuyant sur ces divers faits
Certains prennent plaisir à affirmer :
« Comment Dieu peut exister
Alors qu'il y a tant d'atrocités ? »
Je vais tenter de vous expliquer.
Du moins je vais essayer.

Je ne pense pas que Dieu a créé le malheur.
Je pense que l'Homme a détruit son bonheur.
Il était libre de rendre la vie en couleur
Mais sa folie des grandeurs
A détruit beaucoup de cœurs.
Ne produit pas les mêmes erreurs.

Raisonne un peu s'il te plaît avant de juger.
N'oublie pas ou sache que Dieu a sacrifié
Son fils unique pour tous nos péchés.

Un jour je prendrais le temps
De répondre à la question correctement.
En attendant je profite de chaque instant.
Puis un jour, nous, l'armée de croyants
Nous Rejoindrons ce paradis qui nous attend
Ce sera alors un autre débarquement.

Mon rocher

Sans toi je peux perdre l'équilibre
Mais dès que je t'entends
Je sens que je vibre
Et je reprends ma marche en avant.

À tes côtés
Je sais où je vais
Je marche droit
J'avance à grands pas.

Tu es mon rocher
L'épaule sur laquelle m'appuyer
Toujours prêt
À m'aider ou me relever.

Avec toi je n'ai pas de pudeur
J'avance sans peur
Je suis en sécurité
Je sais où je dois aller.

Tu es notre bon Berger
Tu sais comment nous protéger

Tu es notre guide, notre protecteur
Toi seul sais battre notre cœur.

Être ton enfant
C'est assurément
Un privilège immense
Du moins c'est ce que je pense.

Un trousseau de clefs

Si grand si proche
Tu ne rentres pas dans ma poche
Et pourtant toujours à mes côtés
Comme un trousseau de clefs.

Qui pourrait se composer
D'une clef pour sa boîte personnalisée,
Une clef pour sa maison,
Une clef pour son caisson,
Une clef pour le grenier,
Une clef pour son atelier,
Une clef pour son auto…
Quel gros trousseau !

Mais pour moi l'ultime clef
Celle qui me fait tant rêver
C'est celle qui a permis à mon cœur
D'ouvrir et accueillir notre Seigneur.

C'est pourquoi je vous le dis
À mon dernier souffle de vie
À l'intérieur de celui-ci
Sera alors écrit
Ici a vécu Jésus Christ.

Partie 4
Célébrations

C'est de lui, par lui et pour lui que sont toutes choses. À lui la gloire dans tous les siècles ! Amen !

Romains 11:36

À la porte

Oh mon Dieu où es-tu ?
Je suis perdu...

Toc-toc-toc
On frappe à la porte d'entrée
Et là c'est le choc
Tu disais vrai...

Tu es venu nous chercher,
Est arrivé le moment qu'on attendait.
Notre corps devient glorieux,
On monte dans les cieux.

Alléluia tu es revenu
Gloire à toi Jésus.

Nous quittons cette Terre,
Au revoir la misère.
Adieu les Hommes.
Bonjour le royaume !

Tu veux connaître cette joie ?
Prie, médite et n'attends pas

Donne ta vie à notre Seigneur
Ouvre-lui pleinement ton cœur.

Moi, demain
Le 4 juin
Cela fera deux mois
Que je me suis donné à Toi
Quel honneur de m'être baptisé !
Ce jour, je ne l'oublierai jamais.

Besoin

Grâce à toi nous renaissons de nouveau
Grâce à toi nous repartons de zéro
Tout nous semble si beau
Nous t'adorons, nous t'avons dans la peau.

Tu es tellement précieux
À nos yeux
Tu es si merveilleux
Qu'on soit jeune ou vieux.

Nous avons tous besoin de toi à nos côtés
Nous avons tous besoin de te parler
Nous aimons tant t'exalter, te louer
Quel bonheur de t'adorer !

Tu es tellement puissant
Que nous te sentons à chaque instant
Ton amour est extravagant
Tu es notre plus beau présent.

Ta fidélité, ta bonté, ton amour
Nous l'avons goûté un jour

Nous te voulons avec nous pour toujours
Impatients, nous attendons ton retour.

Alors viens et en nous demeure
Nous t'ouvrons sans hésiter nos cœurs
Tu es notre guide, tu es notre sauveur
Rempli nous de toi nous n'avons pas peur.

Monde

Dans la vie il y a le monde que l'on voit
Et le monde que l'on croit
Si tu ne crois pas à la vie éternelle
Si tu ne crois pas au père noël
Tu auras quand même des cadeaux
Mais tu n'iras pas là-haut.

Moi pour éviter toute confusion
Je ne crois qu'en ton nom
Je ne dis plus je veux ou j'aimerais
Je t'implore avec le plus grand respect
Je ne suis pas maître de mon destin
C'est toi qui as tout dans tes mains

Tu es le seul, l'unique, le plus puissant
Je suis heureux de faire partie de tes enfants
Ensemble nous sommes une famille unie
Ensemble tu nous fais aimer la vie

On l'apprécie et la voit autrement
Nous en sommes tous reconnaissants
Toutes ces louanges sont donc pour toi

Toute cette adoration te revient de droit
Merci pour avoir changé mon esprit
Merci pour tout ce que tu accomplis

Au ciel comme à la Terre
Tu es bon mon Père
Attention à ne pas confondre « je veux »
Et les pensées puissantes de Dieu

Éloignement

On se connaît depuis toujours
Mais un beau jour
J'ai décidé
De me séparer
De toi.
Excuse-moi.

Je pensais que mes forces
Seraient alors comme une écorce
Personne ne pourrait me détruire
Personne ne pourrait me faire souffrir.
Et pourtant je n'ai pas réussi
À trouver un équilibre dans ma vie.

Tu me manquais tellement
Que je ne pouvais pas faire autrement
Que revenir vers toi.
Je t'ai rouvert mes bras
Et comme au premier jour
J'ai senti tout ton amour.

Le vrai équilibre est avec toi
Oh oui Roi des rois

Avec toi j'ai la force d'avancer
J'ai des raisons d'exister
Parler de toi en fait partie
Car c'est grâce à toi que je vis.

Communication

Allo… Allo… Allo
Zut je n'ai pas de réseau
Comment je vais appeler
Pour prévenir d'un danger.

Dieu pourvoi à tout, laisse agir
Il sait tout, arrête de réfléchir
Mets en prière la personne concernée
Et par sa grâce elle sera touchée

Avec lui pas besoin de réseau wifi
Il sait vraiment ce qu'il te faut dans ta vie
Il sait les personnes qu'il te correspond
Et avec elles il te mettra en connexion.

Sois juste alerte à ce qui t'entoure
Tu verras il t'apportera tout l'amour
Qu'il te demandera de partager
Sans retenue comme un forfait illimité.

Alors comme on envoie un SMS
La bonne nouvelle se disperse

Aux extrémités de la Terre
Avec comme point de départ la prière.

Donc que tu aies du réseau ou pas
Tu l'entendras au fond de toi
Garde la foi
Et ton message passera !

Se diriger

Ton cœur s'est tourné vers Dieu
Et même si je suis très amoureux
De toi, j'avoue ne pas avoir compris ton choix
Lorsque tu me l'as dit pour la première fois.

Mais le temps est passé, finalement j'ai accepté
J'ai compris ton appel, je me suis documenté
Il est vrai que Jésus a tant fait pour nous
Donc pourquoi croire en lui serait un tabou ?

Je ne prétends pas à être un fervent chrétien
Mais je me construis et ma foi n'est pas si loin
Je la vois, parfois la touche du bout des doigts
Je suis plus qu'à quelques pas... De toi

Je ne veux pas courir mais aller doucement
Dans les plans que tu as minutieusement
Préparés. D'avance je te remercie
Puisque grâce à toi m'attend une nouvelle vie.

Je n'ai plus qu'à sauter les dernières barrières
Qui me séparent de mes sœurs et frères

Certains diront que cela a mis du temps
Mais cela fait tout juste un an.

Long ou pas l'essentiel est ailleurs
Depuis peu tes paroles ont pris un sens dans mon cœur
Je reçois et écoute avec joie les prédications
Et les nombreuses louanges en ton nom.

Mon virage vers toi n'est pas terminé
Mais je peux voir ma destinée
Encore quelques embûches dans mon combat
Et je serais enfin tout à Toi.

À noter que mon baptême a eu lieu entre deux, c'était le 4 avril
2021

Tes plans

J'ai pour habitude d'écrire pour Toi
Mais aujourd'hui je veux parler de moi
Même si tu n'es pas étranger
À ce que je vais raconter.

En effet c'est toi qui par tes plans réfléchis
As fait que j'ai croisé par le biais d'un ordi
La femme de ma vie
Je voulais donc te dire merci

Notre rencontre s'est faite sur internet
J'aurais pu tomber sur une malhonnête
Mais non tu savais que ce devrait être elle
Son prénom : Emmanuelle

Ce qui signifie « Dieu est avec nous »
Preuve donc que tu avais prévu ton coup
Car pour ceux qui ne le savent pas
C'est grâce à ma femme que j'ai eu foi en Toi.

Tu savais très bien ce que tu faisais
Tes plans sont tellement parfaits :

Tu l'as utilisé pour que je vienne vers Toi
Tu m'as utilisé pour qu'elle revienne à Toi

Aux personnes qui pourraient en douter
Qui utilisent leur force au lieu de t'écouter
Je voudrais juste dire laissez-vous transporter
Qu'il te fasse confiance, tu as tout programmé

Hommage

Derrière un homme, une femme de prière

Quand on est célibataire

C'est notre mère

Quand on est marié

C'est notre bien-aimée.

Et toi qui es caché ?

Quand ma femme part prier

Elle part dans la chambre à côté

Et je l'entends se confesser.

Je l'écoute sans faire mon voyeur

Mais je ressens dans mon cœur

Qu'elle veut vraiment mon bonheur.

Je sais que je peux compter sur toi

Merci de croire en nous, en moi

Je ne te décevrais pas.

Guidé par Dieu et ses paroles

Aucun risque d'exploser en vol

Je t'écoute, dis-moi mon rôle.

Mais pour réussir ma destinée

Je ne peux pas y arriver

Sans ma femme à mes côtés.

Dieu veut qu'on s'occupe de lui

Dieu nous a réunis et unis

Et toi Dieu qu'est-ce qu'il t'a dit ?

À toi

Merci…
Car aujourd'hui deux ans qu'on s'est dit oui
On fête donc un nouveau chapitre de vie
Malgré les obstacles et les difficultés
On a chassé les doutes et jamais renoncé.

De ne pas renoncer, à croire à notre bonheur.
Croire en notre histoire de tout notre cœur
On ne s'est jamais laissé influencer
Et comme ça on a pu tout enchaîner.

Merci…
Pour le travail, les enfants, le mariage
Quand on regarde notre aiguillage
J'aime le chemin que l'on a pris
J'aime le destin qu'il nous a choisi.

Jamais seuls, Dieu était déjà présent
Il savait ce qu'il ferait de nous, ses enfants
Quand je regarde ce qu'il a fait de nos vies
Je crois que je peux lui dire merci.

Merci...
De m'avoir fait rencontrer une femme extraordinaire
De me l'avoir mis sur mon chemin mon Père
Tu savais que cette femme me correspondait
Et c'est vrai tu n'étais pas trompé.

Douce, magnifique, pétillante
Déterminée, altruiste, souriante.
Elle a encore beaucoup d'autres qualités.
Et grâce à elle, j'ai pu te rencontrer.

Feu thérapie

Pinpon pinpon
Je n'aime pas ce son
C'est la sirène des pompiers
Un feu est déclaré !

Le feu se propage à grande vitesse
Il faut s'extirper du feu sans maladresse
On peut très vite être encerclé
Tout peut rapidement partir en fumée

Enveloppé d'une couverture
C'est un peu notre armure
Elle nous a été donnée
Par celui qui nous a crée

Même si le feu est omniprésent
Il est à la fois comme un médicament
Il peut t'aider à marcher et aller de l'avant
Garde cette flamme en toi à tout moment.

Étant la lumière, ne cesse pas de briller
Quand cela va mal ou que tu es dans l'obscurité

Tu vas permettre ainsi d'éclairer
Les diverses difficultés qu'on peut rencontrer.

Le feu a détruit des choses que t'aimais
Moi il me permet de faire oublier le passé.
Le feu qui brûle en toi ne s'éteindra jamais
Il est en toi, il est là pour les âmes à sauver.

Se dépasser

Jamais vu, jamais pris
Pourtant tu fais partie de notre vie
Jamais esseulé
Toujours là à nous accompagner.

Fidèle à tes enfants.
À chaque instant
Tu nous encourages
À tourner la page.

Tu nous aides à pardonner
À nous aimer sans préjuger.
Repoussant toute violence
Vivre avec toi, que la délivrance !

Tu as sacrifié ton fils bien aimé
Pour nous et lavés nos péchés
À toi doit revenir toute la gloire
À nous de remplir nos devoirs.

Le devoir de te faire confiance
Mais aussi de vivre avec obéissance.

On doit rejeter toute forme d'orgueil
On se doit d'être sincère, tu nous as à l'œil.

Tu peux voir si on t'écoute
Si on se trompe de route.
L'amour que tu nous tends
Nous redresse à chaque instant.

Quelle force ! Quelle générosité !
Pour toi je n'ai qu'une envie : me dépasser

Jugement

Assis par terre sur le côté
Je commence à pleurer
Au rythme des tickets
Tombés des portes-monnaies.

Certains se moquent de moi
Certains ne me regardent même pas
Le jugement des autres est dur croit moi
J'ai eu mal d'être traité comme cela.

Ce témoignage est un sentiment ressenti
À une époque de ma vie
Où je n'avais plus aucune envie
Et que je ne connaissais pas Jésus Christ.

Et pourtant je me suis accroché
Je n'ai pas tenté de me suicider
Quelque chose me retenait
Le Seigneur était déjà à mes côtés.

Maintenant qu'au quotidien je te côtoie
Je refuse de me lamenter comme cela

Je me force à marcher droit
Je veux que tu sois fier de moi.

Tu es ma force et ma joie au quotidien
Me permettant de toujours rester serein
À la gomme j'ai effacé tout type de chagrin
À l'encre indélébile j'écris : merci à toi roi divin

Partie 5
Prières

*Toi, quand tu veux prier, entre dans ta chambre la plus retirée,
verrouille ta porte et adresse ta prière à ton Père qui est là
dans le secret. Et ton Père, qui voit dans le secret, te le rendra*
Matthieu 6:6.

Aimer

Son amour est ton oxygène,
Il efface toutes tes peines
Il fait toute la place à la joie
Il est le Roi des rois.

L'aimer est merveilleux
Grâce à lui je suis heureux.
Le connais-tu ?
Il s'appelle Jésus.

Quand il voit que mon prochain
Sent monter en lui le chagrin
Son corps en moi se meurtrit
Une grosse peine nous envahit.

Il me demande de parler en son nom
C'est ce que je fais sans hésitation
Très vite la douleur disparaît
Une âme de plus est sauvée !

Se blottir dans tes grands bras
C'est assurer que mon cœur va.

Tu peux lui demander l'impossible
Avec lui tout est possible.

T'aimer est si merveilleux
Je t'adore mon Dieu.

Donner

Je te donne mon cœur
Je te donne ma vie
Tu es mon sauveur
C'est pourquoi je prie.

Je te donne mon âme
Je te donne mon temps
Je suis comme une flamme
Qui brûle ardemment.
Oh seigneur ! Oui Seigneur !
Tu es mon unique bonheur
Je t'aime, oh je t'adore
Je te donne tout mon corps

Je te donne, je me donne
Oh oui je m'abandonne
À toi, pour toi, par amour
À toi, pour toi, pour toujours.

Oh mon Dieu ! Oh tout puissant
J'ouvre les yeux en grand
Je vois tous tes bienfaits
Je vois tes promesses se réaliser.

Je t'ai donné mon corps, mon esprit
Tu as pris le contrôle de ma vie
Tu mérites toutes ces glorifications
Tu mérites toutes ces exaltations.

Oh Éternel ! Oh Roi des rois !
Tu as fait de moi un brillant soldat
J'ai fait de toi mon commandant
Je suis attiré à toi tel un aimant !

À l'aide

Seigneur
Viens vite j'ai mal au cœur
Il est meurtri,
Il est sali.

Oh chef des armées
Viens vite je me sens rejeté
Mis à l'écart
Mis au placard.

Seigneur aide moi à passer au-dessus
J'implore ta grâce Seigneur Jésus
Je ne veux pas être mis de côté
Au contraire je veux pouvoir aimer.

Qui a le droit de me juger comme cela ?
Je sais que toi tu ne le feras pas
Merci Seigneur de m'aimer comme je suis
Merci de m'aider à construire ma vie.

Notre vie est un jeu de patience
On avance doucement en silence

Jusqu'au coup fatal où on sort vainqueur
Notre force on la puise avec toi Seigneur.

Mon combat avec toi est une victoire assurée
Tu es comme une ceinture de sécurité
Même en cas d'accident
Tu réponds toujours présent.

Donne-moi

Donne-moi de l'amour
Je t'en donnerai plus en retour
Donne-moi la sécurité
Je te donnerai ma fidélité.

Couvre-moi de gentillesses
Je ne veux plus faire de maladresses
Couvre-moi de bénédictions
Je ne veux plus faire de mauvaises actions.

Donne-moi un futur merveilleux
Je ne veux pas être malheureux
Donne-moi du temps
Je veux t'aimer correctement.

Recouvre-moi de ta protection divine
Je ne veux pas avoir une petite mine
Recouvre-moi du sang de l'agneau
Je veux le sentir sur ma peau.

J'ai tant besoin de toi
Qu'en fait c'est à moi
De me donner à toi
Excuse-moi.

Amour

Amour divin
Amour certain
Amour immuable
Amour palpable.

Oh je te donne mon amour
Oh oui pour toujours
Un amour sans détour
Qu'il fasse nuit ou jour.

Amour de Dieu
Amour heureux
Amour merveilleux
Amour radieux.

Oh je te donne mon cœur
Oh oui prend le Seigneur
Un don sans pudeur
Je me livre à toi à toute heure.

À toi qui a su me libérer
De ces chaînes qui m'ont attaché
Je te dédie
Un amour infini.

Une clef

Depuis un moment
Un sentiment
Me pourrit
La vie

Je me sens oppressé
Par de noires idées

Je pleure, je me réfugie
Au calme, dans mon lit
Je sors mon arme secrète : la prière
Pour accéder à toi, mon père

Toi seul m'aider à m'en sortir
Tu n'aimes pas me voir souffrir
Tel un bon berger
Tu es là pour me guider

Le loup affamé n'est alors plus rien
Avec Toi il est facile de battre le malin
Je me sens délivré
Complètement soulagé

Être attentif à toutes ses paraboles
Méditer avec sérieux la parole
Sont deux des trois clefs
Pour se sentir libéré.

La troisième vous l'aurez compris
C'est la prière jour et nuit
N'oublie pas que la persévérance
Ouvre la porte de la délivrance

Confidence

Se confier totalement ou à demi-mot
De ses crimes, de tous ses maux
N'est pas chose très facile j'avoue
Mais vivre mieux, c'est vivre sans tabou

Il y'a la confession sous l'oreiller
Il y'a la confession accélérée
Mais la confession la plus sincère
Se retrouve dans la prière

Agenouille-toi, ouvre les mains, confie-toi
L'éternel est fort, il est le Roi des Rois
Il sait que tu es un bon soldat
Arme-toi et repars à tes autres combats
Ton péché avoué étant effacé
Va et pars vers d'autres sentiers

Ne regarde plus le passé mais l'avenir
Arrête de te lamenter ou de subir
Parle, ne garde pas tout pour toi
Ai confiance le Saint-Esprit te guidera

Comme une éponge qui enlève la saleté
Sur une assiette que l'on vient de manger
Tout est propre, prête à être réutilisé
Ta confession a permis de te relaver

Sur toi plane la nouveauté
Fini les tracas, tendons à être parfait

Partage

Mes yeux en pleurent
Je sens en moi une douleur.
Je n'aime pas quand il y a du bruit
Je n'aime pas quand cela cri

Seul je me sens beaucoup bien
Quand je dois méditer sur mon destin.

Les yeux fermés,
J'implore ta Sainteté

Un tête-à-tête avec toi
Comme quand on partage un repas
Ce n'est pas un dîner romantique
Ce n'est pas non plus gastronomique

Les yeux dans ta direction
Je suis prêt à la confession.

Merci de m'avoir écouté, de m'avoir aidé
Je me sens mieux depuis qu'on a parlé

Vivre cette relation unique avec toi
C'est vraiment très important pour moi.
Les yeux ouverts
J'ai fini ma prière.

C'était un agréable moment de partage
Entendre ta parole me rend plus sage
Avec toi je peux parler librement
C'est un échange édifiant.

Ma voix

Depuis que je t'ai rencontré
Un dimanche de fin d'année
Mes chaines se sont brisées

Ma dette tu l'as payé
Par ton sang qui a coulé
Je ne cesserai jamais de t'aimer
Oh non je ne cesserai jamais de te louer

Quelle joie, quel bonheur
De chanter tous en chœur
Tous unis sans aucune peur
Nous te louons seigneur

Oh roi des rois
Pour toi j'élève ma voix
Oh oui roi des rois
Merci d'être toujours là

Du lieu où tu es, tu nous regardes tous
Des pieds aux mains jusqu'à notre frimousse
Tu vérifies que nous allons tous bien
Que nous avons banni le mot chagrin

Oh roi des rois
Pour toi j'ai élevé ma voix
Oh oui roi des rois
Merci de m'avoir ouvert les bras.

Oh

Ô toi soleil qui gagne
Prairies, ruisseaux et montagnes
Tu me permets de m'évader
De profiter de la nature et la contempler

Peur de rien je suis à toi
Alors vas-y ravi moi

Dis-moi qui je suis ce qui m'attend
Vas y prend tout temps
Je m'offre à toi pour la vie
À genoux sur l'herbe, je pris

Peur de rien, je me remets à toi
Alors vas-y parle moi

J'ai envie que le vent m'emporte
Telle une vulgaire feuille morte
Mon envol vers d'autres vallées
Fera de moi un homme libéré

Peur de rien je te tends les bras
Alors vas-y emporte moi

Merci beaucoup de m'avoir écouté
Je me sens à présent soulagé
À affronter les difficultés
Et vous, vous êtes prêts.

N'ayez peur de rien, dieu est présent
Tendez l'oreille, écoutez attentivement

Un retour

Un retour que j'aimerais
Vous faire partager
C'est celui de notre Seigneur
On ne connaît pas l'heure
Mais on approche de la fin
On en est tous certains.

Je vis mon existence avec sérénité
Juste impatient de te retrouver

Toi aussi tiens-toi prêt à son retour imminent
Tiens-toi prêt car à chaque instant
Ce peut être pour nous l'enlèvement.
Chaque minute est comptée
Comme un chronomètre prêt à démarrer
N'attends pas y'a des âmes à sauver.

Limite je serais prêt à te dire
Arrête de continuer de me lire
Tu reprendras le poème après
Le retour du Seigneur est si près
Tu devrais prendre du temps à te préparer.

Je vis mon existence sereinement
Je suis juste impatient.

À ta porte il peut arriver sans prévenir
La sonnette peut à tout moment retentir
L'essentiel c'est d'être prêt et prête
Quand on entendra le son de la trompette
Ça sera alors la fin pour certains
Mais le début pour nous chrétiens.

J'ai vécu mon existence pour te rencontrer
Ça y est mon but s'est réalisé.

Oppression

Depuis un moment
Un sentiment
Me pourrit
La vie.

Je me sens oppressé
Par de noires idées.

Je pleure, je me réfugie
Au calme, dans mon lit
Je sors mon arme secrète : la prière
Pour accéder à notre Père.

Lui seul peut m'aider à m'en sortir
Il n'aime pas me voir souffrir
Tel un bon berger
Il est là pour me guider.
Le loup affamé n'est alors plus rien
Avec Dieu il est facile de battre le malin.

Je me sens délivré
Complètement soulagé.

Être attentif à toutes ses paraboles
Méditer sérieusement la parole
Sont deux clefs
Pour enfin se sentir libéré.

La troisième vous l'aurez compris
C'est la prière jour et nuit
N'oublie pas que la persévérance
Ouvre la porte de la délivrance.

Partie 6
Évangélisation

*En effet, tel est l'ordre que le Seigneur nous a donné : Je t'ai
établi pour être la lumière des nations, pour apporter le salut
jusqu'aux extrémités de la terre.*

Actes 13.47

Dans l'amour

Des fois on marche sans avoir d'ennuis
La saleté ou la pauvreté on les fuit
On vie notre vie sans se soucier
Alors que des âmes sont à sauver.

Tu ne t'es jamais demandé dans ta vie
Si la personne qui dort dehors dans la nuit
N'aurait-elle pas besoin de manger
Où tout simplement envie de parler ?

Grand, maigre, gros ou petit
On est tous aimés par Jésus Christ
À tout moment cette personne écartée
Peut devenir notre réalité.

Beaucoup de personnes sont esseulées
Alors qu'un mot ou un regard appuyé
Pourrait égayer leur journée
Nous devons tous nous encourager.

Aller frère et sœur tous au combat
Nous devons parler au nom de notre Roi

Acceptons nous, fini les différences
Réunissons nous, trompeuses sont les apparences.

En effet une personne bien habillée
Peut-être une personne en difficulté
Je vous invite tous à dépasser les préjugés
Tous unis dans l'amour comme Dieu aimerait.

À l'abordage

Avec certains de mon entourage
Je ne parle pas le même langage.

Je vois les choses trop grandes à leur échelle.
Pourtant je ne fais que répondre à mon appel
Je veux donc partager la bonne nouvelle.

Je veux prendre le temps de parler à chacun.
Je veux qu'ils mettent Jésus en numéro un.
Je veux que sur Terre ils se sentent bien.
Je veux leur faire découvrir l'Esprit saint.

Alors toi aussi si tu veux t'approcher du Divin,
Si comme moi tu veux aider ton prochain
Marche avec moi main dans la main
Tous ensemble on peut faire les choses bien.

Sur cette Terre nous sommes à la fois le sel
Mais aussi la douceur comme l'est le miel
Trouver cet équilibre est essentiel.

Prêt pour ce voyage ?
Oui ? Alors à l'abordage !!

Évangéliser

J'ai cogité, j'ai hésité
Tu m'as motivé

0, 1, 2,3
Prêt au combat
Je prends ma bible
Pour mieux toucher ma cible.

Par la parole je veux toucher
Des âmes je veux en sauver
Donne-moi cette force Éternel
Pour que je répande la bonne nouvelle.

3, 2, 1,0
J'ai fait le grand saut
Je diffuse mes poèmes
Pour dire que je t'aime.

Par mon attitude, par mes actes
Je montre que nous avons un pacte
Celui de sauver beaucoup d'âmes
Celui de te déclarer ma flamme.

J'ai marché, j'ai osé
Nous avons gagné.

Compte à rebours

Compte à rebours lancé
Pour être en congé ?
Pour être parents ?
Pour avoir dix-huit ans ?
Pour passer son baccalauréat ?
Pour récupérer son animal à la Spa ?
Tant d'interrogations
Et pour moi tant de non !

Je vois les jours avancés et défilés
J'attends mon heure arrivée
Mais je ne suis pas là pour subir
Au contraire j'ai plein de choses à dire
Avant que mon compte à rebours soit à zéro
Et que je parte avec Toi là-haut ?

Peut-on accélérer le temps ou le maîtriser ?
Non ce n'est pas de ton fait
Tu es sur Terre pour aider ton prochain
Ne joue pas trop avec le malin
Diffuse et partage l'amour mis dans ton cœur
Arrête tout type de rancœurs.

Le temps tu ne peux pas l'arrêter
Zappe alors toute méchanceté
Le temps ne doit pas être source d'angoisse
Il doit t'aider dans tes impasses
Un simple doute…
Change vite de route !

Réponds au mieux à l'appel de Dieu
Nul doute que tu seras heureux
Le compte à rebours est lancé
La course est prête à démarrer
Ne t'arrête pas pour des futilités
Avance vers ta belle destinée.

Être chrétien

Être un chrétien lambda
Je refuse de vivre cela
Je veux te glorifier
À longueur de journée

Être un chrétien inactif
Ne me semble pas jouissif
Je ne veux pas tomber
Dans cette facilité.

Être un chrétien tiède
Ce n'est pas non plus un bon remède
Devant toi je veux me prosterner
Je ne peux pas rester les bras croisés

Être un chrétien bouillonnant
Être béni abondamment
Voilà ma vie à présent
Et j'en suis très content.

Le culte du dimanche n'est pas suffisant
Je veux apporter du changement,

Dépeupler ce lieu appelé l'enfer,
Je veux marcher à côté de notre Père

Je veux sentir le feu dans mes yeux
Je ne suis pas parfait, je fais au mieux
Pour voir un maximum les gens heureux
Que c'est bon de te servir mon Dieu.

Observations

Chaque jour je croise des gens par milliers
Tout à chacun marche avec ses idées.
Je ne sais pas ce qu'ils peuvent penser
Je sens en moi qu'il faut que j'aille leur parler

Mais en face c'est souvent des glaçons
Chacun s'occupe à sa façon
Faut que je trouve un sujet de communication
Avant qu'ils arrivent à leur destination.

Mais difficile de briser la glace
On est souvent dans une impasse
Mais Dieu est avec moi nous sommes tenaces
Ensemble on va partir à la chasse.

Bible en main, lui en moi, je pars évangéliser
On va essayer au maximum de sensibiliser.
Quoiqu'onques croit en toi est sauvé
Tu nous as tous lavés de nos péchés.

C'est le message qu'on doit donner à chacun
Qu'elles te donnent tout l'amour qui te revient
Tu es le roi divin
On doit en être tous certains.

Lâcher prise

Sans aucune transition
J'ai pris une nouvelle dimension
J'ai en effet pris conscience
De ton existence.

Depuis notre rencontre en janvier
Tu m'as vraiment transformé
J'ai pris un virage à trois cent soixante degrés
Et j'ai appris à vivre à tes côtés.

J'ai commencé avec des hésitations
J'ai continué avec de nombreuses questions
Mais j'ai appris à vivre en lâchant prise
Et ne plus vivre sous l'emprise.

Tu es mort pour nous délivrer du mal
Cette grâce peut paraître un scandale
Mais il ne faut pas la négliger, il faut la louer
Tu es mort pour nos péchés et c'est la vérité.

En nous tu as mis des projets de vie
En nous vit le Saint-Esprit
Tout ceci n'est pas de la folie
Lis la Bible, tout est écrit.

N'attends pas pour prendre ce virage
Réveille-toi avant d'être à ta dernière page
Tu as encore un peu de temps, saisie le
Dieu t'aime il veut juste que tu sois heureux.

Réveil

Aujourd'hui je me suis réveillé
Avec l'idée de partager
Ma conception du monde entier.

J'imagine…
Un monde meilleur
Un monde en couleur
Un monde avec ferveur

J'imagine…
Une Terre jolie
Une Terre unie
Une terre qui prie

Tous unis pour un monde meilleur
Tout joli avec plein de couleur
Tous ensemble priant avec ferveur.

Imagine comme cela doit être bien
D'être ensemble réuni main dans la main
Marchant sur la route de notre destin.

Imagine ensemble tout ce qu'on peut faire
Unis nous sommes une armée de prière
Alors viens et glorifions tous notre Père.

J'espère que ce n'est pas qu'une imagination
J'espère que cela sera plus une vision
Uni le monde va prendre une vraie dimension

Acceptation

Je t'assure que depuis
Je t'ai accepté dans ma vie
Je ne pense plus au lendemain
Je me sens tellement bien.

Parler librement de toi
J'en ai fait le choix
J'ai vraiment à cœur
De parler de toi sans pudeur.

Je ne veux pas me retenir
Je ne veux pas me contenir
Je veux semer ta belle parole
Je veux que ta foi décolle.

Reçois alors la parole de Dieu
Il te rendra toujours heureux
Rassure Dieu est bon et pourvoira
À tes besoins dans tous les cas.

Soyez bénis après ce poème
Restaure ton âme, Dieu t'aime
Accepte donc ce que je te dis
Ouvre la porte au Seigneur, le reste oublie.

Chaussures

Tu n'as pas encore trouvé
Chaussure à ton pied ?
C'est que tu n'es peut-être pas prêt
À connaître ta belle destinée.

Cherche et tu trouveras
La paire qui te correspondra
Mais surtout n'oublie pas
Seul Jésus sait ce qui te va.

Donc pas besoin d'aller en magasin
Crois uniquement au divin
Il t'aidera à être serein
Et être un bon chrétien.
C'est bon te voilà chaussé !
Tu es prêt à toute éventualité.
Tu peux partir évangéliser !
Il saura te guider

Que c'est bon la vie
Quand on sait qu'on est suivie !
On ne vit plus en survie

Mais à travers tes envies.
Mais ne jette pas tes chaussures
Qui sont pleines d'usures
Un rafraîchissement, un peu de peinture
Et on continue à franchir tous les murs.

Chaussures à crampons ou pas
N'attends pas et équipe-toi
Dehors il y'a tant dames à sauver
Nous devons aller les aider.

Diffusion

Parler de toi
Peut faire peur
Mais pour moi
Ce n'est que du bonheur

Évangéliser,
Porte la bonne nouvelle
Voilà à quoi je suis destiné
Puisque c'est mon appel

Je ne crains rien
Puisque tu as outillé
Mes deux mains
Pour être le mieux armé

Faire face à ce qui m'entoure
Diffuser tout ton amour
C'est ce que je dois faire
En complément de ma prière

Tu nous as dotés d'une armure
Pour briser la glace et les murs

Qui pourraient faire des obstacles
À tes miracles

Je l'utilise au quotidien
Tel est mon chemin
Et mon destin
Quelle fierté d'être chrétien

Un reflet

Regarde-toi bien en face
Regarde-toi dans la glace
Comment te vois-tu ?
N'ai pas peur de te mettre à nu

Tu es seul face à ce reflet
Personne pour te juger
Sur le physique que tu as
Alors vas-y lâche toi

Repends-toi face à ton reflet
Ton image n'est pas truquée
Observe bien
Mais tu ne verras rien

Sais-tu au moins pourquoi ?
Ce manque d'image face à toi
Parce que l'enveloppe extérieure
Ne vaut rien face à celle de ton cœur.

Dieu regarde au cœur et non aux apparences
Alors n'apporte pas autant d'importances

À ton physique, à ce que tu dégages
Sois sympathique et surtout partage.

Ne garde rien pour toi, donne aux démunis
N'oublie pas certains n'aiment pas leur vie
Alors que tu leur parlerais simplement
De Jésus et ils verraient leur vie autrement.

Partie 7
Révélations

*Ne vous conformez pas au monde actuel, mais soyez
transformés par le renouvellement de l'intelligence afin de
discerner quelle est la volonté de Dieu, ce qui est bon,
agréable et parfait.*

Romain 12.2

Les œufs

Comme en cuisine où l'on a besoin de préparation, nos cœurs aussi doivent être prêts à être disposés pour Dieu.

Plus un œuf reste dans l'eau frémissante et plus il sera dur ; c'est un peu comme le cœur chrétien plus il est plongé dans la Parole de Dieu plus il sera fort.

Moi j'aimerais être un œuf dur, être dur à l'extérieur et à l'intérieur.
Pour cela je dois rester longtemps dans cette eau qui boue.
Plus je resterais à cuire et plus je serais affermi.

En attendant on est tous des œufs différents : Il y'a les œufs à la coque certes la coquille est chaude voire brûlante mais l'intérieur est coulant donc pas assez ferme. S'endurcir permet de ne pas laisser le doute s'installer.

Des fois on a les idées un peu (em) brouillées, comme le nom de cette recette. (Les œufs brouillés.) Pour les réussir on doit les battre avant d'arriver au résultat final, c'est comme nous chrétien qui débutant dans la foi.

On doit souvent se battre spirituellement pour passer de simple jaune à un plat. Comme l'omelette on passe de casser un œuf (ouvrir son cœur) à un produit que l'on peut manger avec des garnitures ou pas.

On peut la manger froide ou chaude. L'omelette est donc un peu notre foi on la complète avec les acquis et paroles de Dieu que nous apprenons.

À nous de voir si on veut rester froid, tiède ou chaud. J'espère que ces préparations t'apporteront un regard neuf sur ton existence.

Je n'en ferais pas tout un plat mais j'avais le besoin de m'exprimer.

Alors à toi de cuisiner et trouver quel type d'œuf tu veux être.

Écrivain

Tout le monde est un peu écrivain mais l'ignore.
À travers ses observations il crée des héros, un monde, des
aventures, etc.

Mais il ne faut pas oublier que les décors et la mise en scène
n'ont pas besoin d'être créés, en effet Dieu s'en est déjà
occupé.
À noter que nous sommes nous-mêmes des personnes conçues
par son imagination.

C'est donc Dieu qui, en nous guidant, nous interpelle sur ce qui
nous attire. Le seul vrai héros c'est donc Dieu.
À chaque erreur, en tant qu'écrivain on peut prendre une
gomme, effacer et réinventer un scénario sur d'autres bases.
C'est le principe du pardon.

Notre vie est un roman qui comporte une infinité de pages
blanches mais quoiqu'il arrive la fin de notre histoire est déjà
écrite, c'est ce qu'on appelle la destinée.

On se croit romancier mais en fait nous sommes en fait que des
écrivains publics, on écrit ce que nous dicte Dieu.

Ainsi notre vie ne peut être qu'un roman à succès car il est co-
écrit par le plus puissant des scénaristes, Dieu.

Rêver

Rêver c'est ce qu'il y'a de plus beau...

Rêver permet d'idéaliser un monde qui n'existe pas
Alors pourquoi se réveiller un jour ? Moi je veux rêver encore
et encore
La liberté de rêver est la seule qui ne peut pas être volée
Alors rêvons jusqu'au bout de la nuit, jusqu'au bout de nos
envies.

N'ayons pas peur de voir en grand.

Rêver avec Dieu en restant humble et dans l'obéissance nul
doute que nos rêves se réaliseront.
Quel drôle de vie, quel drôle de rêve mais c'est ma vie, c'est
mon appel.
Pas de limites, franchir ces murs, Federer et vous aider à
découvrir et réaliser vos rêves en parlant avec amour, voici ma
mission et ma volonté.

En attendant continuons de rêver ensemble pour un monde
meilleur.

Voyage

Quand on part quelque part, souvent, pour ne pas dire tout le
temps un retour est prévu dans le voyage

En effet, il faut bien un moment revenir à notre point de départ.
Cette escapade n'est donc qu'une parenthèse qui doit se
refermer.

Chacun d'entre nous à la destination qui le fait rêver : mer,
montage, ville ou campagne.

Depuis petit je rêve de mettre les pieds dans chaque pays pour
contempler ses merveilles.
J'ai déjà eu la chance de faire tous les continents et plus d'une
trentaine de pays mais je ne suis pas encore satisfait. Il y'a un
voyage qui me fascine…

Celui-ci n'a pas besoin de retour contrairement à un voyage
classique qui connaît un terminus, la destination de ma destinée
ne demande aucune escale

Comme un avion qui décolle je monte par palier avant d'arriver à ma vitesse de croisière.
Le commandant de bord est notre Seigneur.

En effet j'ai la vie éternelle puisque je crois en toi.
Ce voyage je l'ai réservé le 4 avril 2021, jour de mon baptême.

Alors si comme moi tu veux faire partie du voyage, pense à réserver ton billet.

Les places sont illimitées mais le décollage pour quitter la Terre est imminent pour le ciel, n'attendez pas.

Percevoir

Percevoir quel verbe intéressant et intrigant ! En effet c'est voir avec discernement.

C'est arriver à comprendre quelque chose avec ses nuances.

Le meilleur exemple est un ciel avec des nuages.
Certains diront qu'il ne fait pas beau, d'autres diront qu'il va bientôt pleuvoir et d'autres verront en insistant avec le regard des formes dans les nuages.

Chacun à sa propre vision alors oui croire à ce que l'on voit c'est important mais pour moi voir par la foi c'est ce qui est de meilleur.
Si tu crois en Dieu tu ne vois pas le monde de la même façon oui bien sûr tu vois ce qui se passe mais tu vois encore plus loin, plus en profondeur.
Tu ressens des sentiments que d'autres ne percevront pas.

Alors ne ferme pas les yeux, nous avons la grâce d'être sur Terre nous pouvons améliorer certains faits.

En nous il vit, il nous guide et nous rattrape.
Nous ne devons pas avoir peur, nous connaissons le bien du mal.

Nous devons donc être là pour notre prochain. Rester en éveil jour et nuit.
Nous ne devons pas connaître la fatigue, l'ennui ou autre.

L'Esprit saint en nous est une flamme qui brûle sans cesse, c'est pourquoi nous sommes appelés à être lumières du monde.

Nous éclairons la Terre par nos actes.

La persécution peut éteindre ce feu qui jaillit en nous, Veillez donc à rester toujours allumer et qu'on vous éteignez jamais.

Postface

Je suis arrivé à mon église locale le jour de ma fête, le 29 décembre.
Un autre des nombreux signes que j'ai reçus.

Comme vous avez pu le comprendre je n'ai donc pas grandi avec Dieu mais j'ai été élevé dans la tolérance et une ouverture d'esprit. Mes divers voyages m'ont aussi beaucoup aidé à connaître cela.

Par mes qualités propres j'ai un cœur disposé à aider, à donner plus de moi-même mais l'église a accentué ce que j'avais reçu comme éducation tel un clou qu'on enfonce avec un marteau.

À noter que ma lecture de la Bible m'a conforté dans l'idée qu'elle peut nous aider dans les épreuves dans la vie et j'ai pu voir que j'ai pu être blessant avec mes parents contrairement à ce que nous dit la parole : « honore ton père et ta mère » (Éphésiens 6 : 2)

Parfois distant envers mes parents dans les moments difficiles et je tiens à vous dire à nouveau pardon mais ce que vous m'avez inculqué je l'ai en moi et m'a aidé de me construire et comprendre qu'il fallait ne rien lâcher et « garder espoir, on y arrivera ».

Je peux vous dire que je l'ai entendu cette phrase de mon père et il avait raison, sa devise fait échos aujourd'hui avec un verset qui reflète mon caractère en tout point de vue :

« Ne nous lassons pas de faire le bien, car nous moissonnerons au temps convenable, si nous ne relâchons pas ». (Galates 6 : 9)

Alors oui des fois je peux être maladroit mais je ne suis pas une mauvaise personne. Je continuerais toujours à faire de mon mieux avec le cœur et peut-être que par ces poèmes j'ai fait la lumière sur mes côtés sombres, en tout cas je serais être patient.

Toute chose se fait en son temps, le temps de Dieu, pas le nôtre bien évidemment.

Vivre donc à ses côtés rend donc les choses beaucoup plus simples. Mais nous le verrons dans le tome 2 « je marche avec... ». Amen !

À bientôt chers lecteurs ! God Bless You (Que Dieu vous bénisse)

Remerciements

Un dépressif n'aime pas la pluie : l'eau inonde ses pensées. Par instinct de survie, il essaye alors de déjouer les méfaits que peuvent entraîner les fortes pluies.

Il crée donc ses propres « moyens d'irrigations » pour qu'il puisse continuer à s'évader et ne pas sombrer dès la première goutte.

Ces moyens d'irrigations sont pour certains le sport, ou le dessin, la cuisine. Quant à moi c'est les poèmes. À travers cette échappatoire j'ai essayé de vous faire partager mes ressentis.

J'espère que vous avez pioché ce dont vous avez besoin pour être plus fort et édifié.

Tout d'abord je tenais à remercier mes parents qui m'ont apporté un soutien sans faille.

Un remerciement aussi à ma femme qui a cru en ce projet et qui m'a aidé dans la mise en page de cet ouvrage. Un petit coucou aux deux princesses qui sont dans ma vie.

Un merci aussi à tout ce qui m'ont encouragé sur Instagram et qui ont mis leurs premières impressions, me confortant dans l'idée de faire cet ouvrage.

Merci aussi aux frères et sœurs de l'église qui m'ont aidé à être la personne que je suis sans oublier aux pasteurs de mon église.

Enfin un merci particulier à mon Semi-moi qui me guide au quotidien

Merci à mon semi-moi ?
Mais qui c'est celui-là ?
C'est le nom que j'ai donné
À mon Saint-Esprit pour le personnifier

Ce n'est pas une personne à part
Il vit mes peines et mes espoirs
Ensemble on ne fait qu'un
Ensemble on avance vers notre destin.

Vous l'aurez donc compris
Nous avons été deux à composer ses écrits
Gloire à toi mon Saint-Esprit !
Et donc Merci

Imprimé en Allemagne
Achevé d'imprimer en novembre 2021
Dépôt légal : novembre 2021

Pour

Le Lys Bleu Éditions
40, rue du Louvre
75001 Paris